Cocina Tradicional

VEGETARIANA

Cocina Tradicional

VEGETARIANA

Apetitosas recetas para cada ocasión

PRÓLOGO DE
SARAH BROWN

EDICIONES LIBRUM

Avda. Bon Pastor, 167
08930 San Adrià del Besòs - Tel. (93) 487 30 01
Barcelona

ISBN 84-89064-06-7

Editora Joanna Lorenz
Editora culinaria en jefe Linda Fraser
Editora culinaria Anne Hildyard
Diseñador Nigel Partridge
Ilustraciones Madeleine David
Fotógrafos Karl Adamson, Steve Baxter, James Duncan y Michael Michaels
Recetas Alex Barker, Roz Denny, Christine France, Annie Nichols y Steven Wheeler
Comidas para las fotografías Carole Handslip, Wendy Lee y Jane Stevenson
Estilistas Madeleine Brehaut, Hilary Guy, Blake Minton y Kirsty Rawlings
Fotografía de cubierta Amanda Heywood
Traductor Javier Calzada Jiménez

Impreso y encuadernado en Singapore

Para todas las recetas se dan las cantidades en sistema métrico decimal y, en su caso,
se dan también en tazas y cucharadas estándar. Siga un sistema, pero no los mezcle,
puesto que no son intercambiables.

Fotografías en p. 2: Horizon International Images; fotografías en p. 7
y p. 8 derecha: Anthony BlakePhotoLibrary; fotografías en p. 8 izquierda y p. 9:
Greg Evans International.

PRÓLOGO

Me hice vegetariana hace ya casi veinte años cuando llevaba una tienda de alimentos integrales. Desde un principio experimenté con los productos de mi almacén, inventando recetas y en ocasiones vendiendo comidas preparadas por mí. A tantos agradaron mis experimentos que pronto abrí un restaurante; después compartiría mis recetas con un público más amplio, convirtiéndome en escritora de temas culinarios. En aquel entonces la comida vegetariana difícilmente era considerada como cocina. Mucha gente apenas veía en ella algo más que las verduras... y un espacio vacío en el plato donde debería estar la carne.

Pero en esta última década, la cocina vegetariana ha llegado a verse como lo que es: una auténtica cocina por derecho propio, lo que demuestra este libro de recetas tradicionales.

Siempre he reunido ideas de todo el mundo para crear recetas interesantes; por eso me complace ver que esta *Cocina Tradicional Vegetariana* hace exactamente lo mismo. Podrá usted viajar a Thailandia, Italia u Oriente Medio sin salir de su cocina. Frescas hierbas y exóticos aderezos confieren auténtica distinción a muchas de sus recetas.

La versatilidad de la comida vegetariana se ilustra con recetas para cada ocasión: desde los menús familiares hasta sofisticadas sugerencias para las grandes celebraciones. Si usted es un vegetariano novel, siga los útiles Consejos del Chef, que le ahorrarán tiempo, le darán ideas para la elaboración del plato o le sugerirán distintas formas de adaptar una receta a sus propias necesidades o gustos.

Para los que aún se inquietan por llenar ese espacio vacío en el plato, este libro ofrece un surtido de medios para hacerlo. Incluye las mejores recetas tradicionales, que utilizan una gran variedad de sanos ingredientes, para elaborar platos sabrosos, fáciles de preparar y basados en sólidos principios nutricionales.

SARAH BROWN

INTRODUCCIÓN

Este libro celebra el placer variado, versátil y pleno que ofrece la dieta vegetariana. La imagen de unos platos sin carne tan saludables como sosos hace ya tiempo que pasó a la historia, y los menús vegetarianos actuales son frescos, ligeros y apetitosos. Para disfrutarlos, no es preciso ser un vegetariano militante: la creciente insistencia en la comida sana significa que cada vez hay más familias que toman varias veces por semana pasta, arroz con verduras, una salsa de queso...; la no inclusión de carne en sus comidas es incidental más que intencionada. Pocos restaurantes omiten hoy en sus menús un plato vegetariano; pero si antes salían del paso con algún tipo de lasaña vegetal, ahora se trata de ideas tentadoras y nuevas. Como esas lentejas verdes especiadas con cebollas dulces o la tarrina de brécoles y castañas, incluidas en esta colección.

Alcachofas a punto de ser recolectadas (izquierda). La rica variedad de vegetales frescos bellamente dispuestos en un mercado al aire libre (arriba) y la exhibición de colorido de los frutos y vegetales veraniegos en un mercado callejero del activo Londres (derecha).

Una dieta vegetariana puede aportar todos los nutrientes requeridos para mantenernos sanos, pero la alimentación debe ser equilibrada y proporcionar suficientes proteínas. La carne y el pescado son alimentos proteínicos completos, pues contienen todos los aminoácidos esenciales que necesita nuestro cuerpo. Para los lacto-vegetarianos, sus fuentes de proteínas son los cereales, frutos secos, legumbres, huevos, leche y queso, pero ninguno de estos alimentos es completo. De ahí que, para evitar las deficiencias, sea importante combinarlos. La mezcla de legumbres (una buena fuente de proteínas de segunda clase) con cereales ayuda a recomponer el equilibrio alimentario, especialmente si se incluyen también hortalizas. Es la virtud de muchas recetas vegetarianas tradicionales.

El trigo es el cereal de consumo más amplio. Se toma de múltiples formas, que van desde el grano completo hasta la harina. Una vez remojado, el grano puede ser consumido como si fuera arroz. Se llama frangollo al trigo triturado con rodillos; el bulgur, por ejemplo, es un frangollo descascarillado y cocido al vapor. Uno y otro pueden ser muy útiles en la dieta vegetariana. Con la sémola obtenida de la fécula del grano se hacen los ñoquis y el cuscús. La pasta, el pan, los pasteles... son de harina de trigo, que se emplea también como espesante en la cocción.

Otros granos incluyen el arroz en todas su variedades, el centeno y la cebada, que a menudo se añaden a las sopas y estofados. La avena en sus diferentes formas es inestimable para las gachas,

los rebozados, los pasteles y las galletas, además de contribuir a dar sabor a muchos platos. El maíz se toma de diferentes formas: triturado y como harina (muy usada en América para hacer el pan y las tortillas). En Italia llaman polenta a la harina de maíz con la que elaboran el plato del mismo nombre.

La cocina vegetariana no debiera prescindir del tofu, también conocido como cuajada de haba de soja, que es una excelente fuente de proteínas. Se elabora con el puré de haba de soja prensada y es un ingrediente importante en la cocina oriental.

Tanto si es usted un vegetariano convencido como si es un converso reciente deseoso de incorporar nuevos platos sin carne a un plan alimentario saludable, en la *Cocina Tradicional Vegetariana* encontrará una fuente inagotable de inspiración para confeccionar muchos menús maravillosos.

SOPA DE BERROS Y NARANJAS

Es una sopa muy reconfortante y saludable, que se puede servir caliente o fría. Se puede congelar trasvasándola al recipiente para congelarla antes de añadirle la crema de leche.

INGREDIENTES

1 cebolla grande picada
15ml / 1 cucharada de aceite de oliva
2 manojos de berros
ralladuras y zumo de 1 naranja grande
1 cubito de caldo de verdura
150ml / ⅔ taza de crema de leche
10ml / 2 cucharaditas de harina de maíz
sal y pimienta negra molida
adornar con un poco de nata o yogur
4 cuartos de naranja para aliñar

4 PERSONAS

CONSEJO DEL CHEF

Lavar los berros sólo si es necesario; suelen estar muy limpios.

1 Poner el aceite en un cazo grande y sofreír la cebolla durante 5 minutos, removiendo de vez en cuando, hasta que quede transparente. Recortar los tallos de los berros y desechar los más gruesos y fibrosos; ponerlos en el cazo. Tapar y cocer durante 5 minutos hasta que los berros se ablanden.

2 Añadir la ralladura y el zumo de naranja. Disolver el cubito de caldo en 600ml / 2 tazas de agua. Tapar y hervir de 10 a 15 minutos. Mientras se hace, mezclar la crema de leche con la harina de maíz.

3 Pasar a un túrmix o emplear la batidora para triturar todo bien, y colar luego, si se desea. De nuevo en el cazo, añadir la mezcla de nata y harina de maíz. Sazonar al gusto.

4 Llevar a ebullición a fuego suave, removiendo hasta que espese un poco. Rectificar de sal y servir con un chorrito de nata o yogur y un cuarto de naranja para exprimirlo en el último momento.

TOMATES ASADOS AL AJO

Si puede elegirlos, utilice tomates canarios, de sabor cálido y ligeramente dulce. Si cocina para muchos, puede usar tomatitos enteros, pero remuévalos con frecuencia al hacerlos.

INGREDIENTES

40g / 3 cucharadas de mantequilla sin sal
1 diente de ajo grande, machacado
5ml / 1 cucharadita de ralladura de naranja muy fina
4 tomates medianos o dos grandes
sal y pimienta negra molida
adornar con hojas de albahaca fresca

4 *PERSONAS*

CONSEJO DEL CHEF

La mantequilla al ajo se conserva bien en el congelador. Prepararla como se ha dicho o con perejil picado en vez de naranja. Congelar en láminas más o menos gruesas, lista para usarla, o bien formar un rollo y envolver en papel de aluminio, que se cortará luego cuando se ablande un poco.

1 Ablandar la mantequilla en un bol, con una cuchara de palo, mezclarla con el ajo y la ralladura de naranja y sazonar. Enfriar en la nevera unos minutos.

2 Precalentar el horno a 200° C / Gas 6. Partir los tomates en mitades y cortar sus bases para que queden estables.

3 Poner los tomates en una fuente de horno. Cubrir con la mantequilla al ajo, extendiéndola en cada mitad.

4 Hornear los tomates al ajo durante unos 15-25 minutos, según el tamaño de las mitades, hasta que estén tiernos. Servir los tomates adornados con hojas de albahaca fresca.

CROQUETAS DE ARROZ Y QUESO

Aunque para este plato puede emplear arroz procedente de sobras, es más fácil trabajar con el recién hecho. El alioli, o mayonesa al ajo, es una excelente salsa para las crudités.

INGREDIENTES

115g / ½ taza de arroz largo, cocido
2 huevos, ligeramente batidos
75g de queso rallado, mozzarella o bel paese
50g / ½ taza de pan rallado grueso
sal y pimienta negra molida
aceite, para freír
ramitas de eneldo, para la presentación

PARA EL ALIOLI

1 yema de huevo
unas gotitas de zumo de limón o vinagre
1 diente de ajo grande, majado
250ml / 1 taza de aceite de oliva

SALEN 16 APROXIMADAMENTE

1 Escurrir el arroz cocido y dejarlo enfriar; después mezclar con los huevos y el queso; sazonar.

2 Moldear con la mezcla unas 16 croquetas y pasarlas por el pan rallado, apretando. Dejar reposar 20 minutos.

3 Preparar mientras tanto el alioli. En un bol poner la yema, con el limón o vinagre y el diente de ajo y sazonar. Añadir muy poco a poco el aceite mientras se bate la mezcla, hasta conseguir una mayonesa brillante y con cuerpo. Tape y deje reposar antes de servir.

4 Calentar el aceite en la sartén hasta que humee, y freír las croquetas, en dos tandas, durante 4-5 minutos, hasta que estén crujientes y doradas. Escurrir sobre papel de cocina. Servir recién hechas (o recalentadas), adornadas con las ramitas de eneldo y con el acompañamiento del alioli.

Samosas de Puerros y Queso Stilton

Esta especie de empanadillas son ideales para un buffet. Prepárelas con antelación, guárdelas congeladas y hornéelas en su momento.

Ingredientes

2 puerros, cortados en rodajas finas
30ml / 2 cucharadas de leche
15ml / 1 cucharada de zumo de naranja
75g / ³/₄ taza de queso stilton, o danés azul, desmenuzado o en daditos
8 hojas de pasta de empanadas (brisa)
25g / 2 cucharadas de mantequilla, fundida
pimienta negra, molida
hojas de coriandro frescas para adorno

Salen 16

Consejo del Chef

La pasta brisa se reseca en seguida y es imposible trabajarla así. Manténgala cubierta con un paño de cocina húmedo y utilice las hojas de una en una.

1 Rehogar a fuego lento los puerros en la leche y el zumo de naranja durante 8-10 minutos, hasta que estén bien blandos. Sazonar con pimienta. Dejar enfriar un poco antes de añadir el queso.

2 Precalentar el horno a 200° C / Gas 6. Tomar una hoja de pasta, untarla con mantequilla y cortarla por la mitad para obtener un rectángulo alargado. Poner en el ángulo inferior izquierdo de la tira la parte proporcional del relleno. Cubrir el relleno con el pico, subiéndolo hacia arriba y hacia la izquierda.

3 Doblar hacia la derecha la mitad izquierda del rectángulo de pasta, formando un cuadrado. Volver por debajo el pico suelto y remeter los bordes para que el conjunto quede bien cerrado. Se pinta con la mantequilla y se coloca sobre una plancha de horno.

4 Repetir este proceso con el resto de la pasta y el relleno, calculando para unas 16 samosas.

5 Hornear 10-15 minutos, hasta que queden crujientes y adquieran un tono dorado oscuro. Servir calientes, como tapas para acompañar las bebidas, o como entrante en una fuente adornada con hojas de coriandro.

Conchas de Espinacas y Requesón

Las conchas grandes de pasta italiana son muy apropiadas para una gran variedad de rellenos. Pocos son más apetitosos que esta mezcla de espinacas y requesón.

Ingredientes

350g de conchas de pasta grandes
450ml / 2 tazas de tomate, triturado
275g de espinacas congeladas, previamente descongeladas
50g / 1 taza de miga de pan blanco, fina
120ml / 1/2 taza de leche
60ml / 4 cucharadas de aceite de oliva
225g / 2 1/4 tazas de requesón
un pellizco de nuez moscada
1 diente de ajo, majado
2,5ml / 1/2 cucharadita de pasta de aceitunas negras (opcional)
25g / 1/4 taza de queso parmesano recién rallado
25g / 2 cucharadas de piñones
sal y pimienta negra molida

4 Personas

Consejo del Chef

Cocer la pasta en un cazo grande y remover de vez en cuando para que no se peguen las conchas.

1 Poner a hervir agua con sal en un cazo grande. Echar la pasta y dejar cocer durante 12 minutos, o hasta que esté al dente. Remojar con agua fría, escurrir y reservar.

2 Poner en un colador fino el puré de tomate y escurrir parte del agua para espesarlo. Poner en otro las espinacas y escurrir el agua apretando con una cuchara.

3 Con la batidora, mezclar la miga de pan, la leche y tres cuartas partes del aceite. Añadir las espinacas y el requesón. Salpimentar y añadir la nuez moscada.

4 Mezclar el puré de tomate con el ajo, el resto del aceite y la pasta de aceitunas, si se usa. Cubrir con esta salsa el fondo de una fuente de horno. Emplear una manga pastelera de boquilla plana, o una cuchara, para introducir el relleno de espinacas y requesón en las conchas. Disponer las conchas rellenas sobre la salsa.

5 Precalentar el horno a temperatura moderada. Hornear a 190° C / Gas 5 durante 10 minutos. Echar por encima el queso parmesano y los piñones, y gratinar hasta que el queso se dore.

HAMBURGUESAS VEGETALES

Estas hamburguesas, fáciles de preparar y cocinar, son ideales para un tentempié o una comida ligera. Los encurtidos, en especial los hechos en casa, las acompañan muy bien.

INGREDIENTES

115g / 1 taza de champiñones, en láminas
1 cebolla pequeña, picada
1 calabacín pequeño, picado
1 zanahoria, picada
25g de cacahuetes sin sal o anacardos
115g / 2 tazas de pan recién rallado
30ml / 2 cucharadas de perejil fresco, picado
5ml / 1 cucharadita de levadura
harina de avena o trigo, para moldear
aceite, para freír
sal y pimienta negra molida
escarola, para acompañar

4 PERSONAS

1 Rehogar 8-10 minutos los champiñones en una sartén antiadherente sin aceite, removiendo, para que suelten el agua.

2 Con la batidora, triturar y mezclar bien la cebolla, el calabacín, la zanahoria y los cacahuetes.

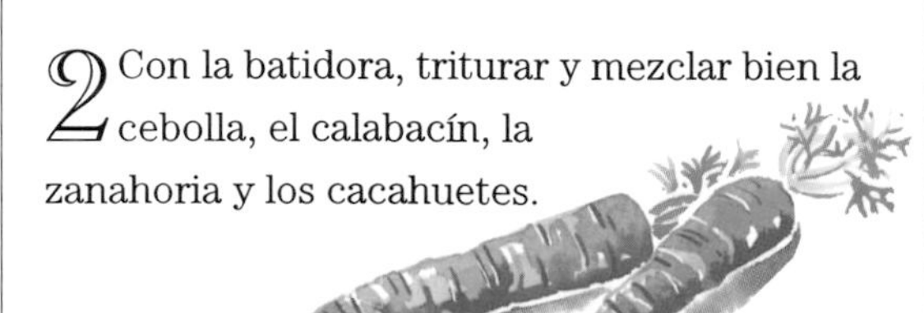

3 Añadir a la pasta los champiñones, el pan rallado, el perejil y la levadura; sazonar al gusto. Rebozar en la harina y formar cuatro hamburguesas; dejar reposar hasta que tomen consistencia.

4 Freír en una sartén antiadherente, con muy poco aceite, 8-10 minutos, dándoles la vuelta una vez. Servir con escarola.

CURRY DE TOFU TAILANDÉS

La cocina tai funde elementos de las cocinas malaya, china e india. Los condimentos favoritos tailandeses, usados en esta receta, combinan perfectamente con el sabor del tofu (queso de soja) al curry.

INGREDIENTES

2 placas de tofu de 200g, cortadas en dados
30ml / 2 cucharadas de salsa de soja ligera
30ml / 2 cucharadas de aceite de cacahuete

PARA LA PASTA DE ESPECIAS

1 cebolla pequeña, picada
2 guindillas verdes frescas, picadas
2 dientes de ajo, picados
5ml / 1 cucharadita de jengibre, rallado
5ml / 1 cucharadita de ralladura de lima
zumo de 1 lima o de 1 limón pequeño
10ml / 2 cucharaditas de semillas de coriandro
10ml / 2 cucharaditas de semillas de comino
45ml / 3 cucharadas de coriandro fresco, picado
15ml / 1 cucharada de salsa de soja
5ml / 1 cucharadita de azúcar
25 g de crema de coco, disuelta en 150ml / ⅔ taza de agua hirviendo
láminas finas de guindilla roja fresca y de lima para la presentación
arroz, de acompañamiento

4 PERSONAS

1 Ponga a marinar los dados de tofu en la salsa de soja unos 15 minutos mientras prepara la pasta de especias.

2 Mezcle en la batidora las cebollas y guindillas, el ajo, el zumo y ralladuras de lima, las de jengibre, las semillas majadas de comino y coriandro, el coriandro fresco, la soja, el azúcar y la crema de coco.

3 Caliente aceite en una sartén ancha. Ponga, secos, los dados de tofu, y fríalos 5-8 minutos a fuego vivo hasta que se tuesten uniformemente. Sacar con la espumadera y escurrir en papel de cocina.

4 Limpiar la sartén y colocar en ella la pasta de especias, rehogándola a fuego moderado sin dejar de remover. Incorporar el tofu y calentar removiendo. Adornar con las láminas de guindilla y lima, y servir con arroz.

TARTALETAS DE PUERROS Y BRÉCOL

Sabrosas y atrayentes, estas tartaletas de verduras frescas, dentro de una pasta con sabor a queso, son también apetitosas como entrantes.

INGREDIENTES

175g / 1½ tazas de harina fina, tamizada
115g / ½ taza de mantequilla
25g de queso rallado parmesano o pecorino (seco y fuerte de oveja)
60-90ml / 4-6 cucharadas de agua fría
harina, para trabajar la masa
2 puerros pequeños, a rodajas
75g de ramitas pequeñas de brécol
150ml / ⅔ taza leche
2 huevos
30ml / 2 cucharadas de crema de leche espesa
una pizca de nuez moscada, molida
15g de almendras tostadas picadas, para la presentación

4 PERSONAS

CONSEJO DEL CHEF

Preparar y congelar las tartaletas, para tenerlas a mano siempre. Podrá descongelarlas en sólo 15 minutos. Rellénelas con coloridas hortalizas de temporada.

1 Mezclar con la batidora la harina, la mantequilla y el queso hasta formar una pasta fina y consistente. Añadir sal y el agua justa para transformar la masa en una bola. Dejar reposar 15 minutos.

2 Precalentar el horno a 190° C / Gas 5. Estirar la masa sobre una superficie enharinada, hasta que baste para fondear cuatro moldes de tartaleta de 10 cm; fórrelos luego por dentro con papel de barba y ponga en su interior algún peso. Hornee 15 minutos. Quite el papel y el peso, y hornee 5 minutos para secar las bases.

3 Para hacer el relleno, ponga los puerros y el brécol en un cazo con la leche; hervir 2-3 minutos a fuego lento. Decantar la leche en un bol y batir con los huevos, la crema de leche y la nuez moscada. Sazonar.

4 Poner los puerros y el brécol en las tartaletas; verter los huevos batidos. Hornear 20 minutos, o hasta que el relleno adquiera consistencia. Espolvorear la almendra picada antes de servir.

RODAJAS DE BERENJENAS ASADAS

Esta forma poco frecuente de preparar y asar las berenjenas da lugar a un plato muy adecuado para un almuerzo, aunque se puede servir también como acompañamiento de pastas.

INGREDIENTES

45-60ml / 3-4 cucharadas de aceite de oliva
1 berenjena grande
2 tomates grandes, en gruesas rodajas
hojas frescas de albahaca, picadas
115 g de queso mozzarella, en láminas
sal y pimienta negra molida
hojas frescas de albahaca para presentar

4 PERSONAS

1 Precalentar el horno a 190° C / Gas 5. Untar una fuente de horno con un poco de aceite. Cortar las berenjenas a lo largo en rodajas de 5 mm de grosor. Disponerlas en la fuente engrasada.

2 Untar generosamente con aceite la capa de berenjenas y salpimentar. Colocar las rodajas de tomate sobre las berenjenas y espolvorear con la mitad de la albahaca picada.

3 Cubrir con una capa de queso, untar de nuevo con una fina capa de aceite. Hornear 15 minutos, hasta que esté tierna la berenjena y el queso se dore y burbujee. Servir con las hojas de albahaca frescas.

GALETTE DE ESPINACAS Y PATATA

Cremosas capas de patata, espinacas y hierbas componen un soberbio plato para la cena. *Galette* es el nombre francés de una variedad de tarta.

INGREDIENTES

900g de patatas grandes
450g de espinacas frescas
2 huevos
400g / 1¾ taza de crema de queso semigraso
15ml / 1 cucharada de mostaza en grano
45ml / 3 cucharadas de hierbas frescas picadas: cebolleta, perejil, perifollo y acedera
sal y pimienta negra, molida
ensalada, para acompañar
6 PERSONAS

1 Precalentar el horno a 180° C / Gas 4. Forrar un molde de 23 cm con papel de hornear que no se pegue. Poner las patatas en una cazuela grande, cubrir con agua fría y hervir 10 minutos. Escurrir y dejar enfriar. Cortar las patatas en láminas finas.

2 Lavar las espinacas y ponerlas en una cazuela grande con el agua justa para cubrirlas. Tapar y cocer, removiendo de vez en cuando hasta que estén hechas. Escurrir en un colador apretando para que suelten el agua. Cortarlas muy finas.

3 Batir los huevos junto con el queso y la mostaza, y mezclar con las espinacas y las hierbas.

4 Disponer en círculos concéntricos en el molde una capa de patatas, y cubrirla con una cucharada de la mezcla de queso; seguir formando capas, salpimentando, hasta agotar todas las patatas y la mezcla de queso. Tapar el molde con papel de aluminio bien ajustado a los bordes y ponerlo en una fuente de horno, con agua caliente hasta media altura.

5 Hornear de esta forma, al baño maría, durante 45-60 minutos. Este plato puede servirse caliente o frío, con ensalada para acompañar.

ESTOFADO VEGETAL DE ORIENTE MEDIO

Receta de verduras y legumbres, adecuada como plato principal o primer plato. La menta y el comino son dos de las plantas aromáticas más típicas del Oriente Medio.

INGREDIENTES

45ml / 3 cucharadas de caldo de verduras
1 pimiento verde, en rodajas finas
2 calabacines en rodajas
2 zanahorias en rodajas
2 tallos de apio, cortados en rodajas
2 patatas, en dados
400g de tomate en conserva triturado
5ml / 1 cucharadita de pimentón picante
30ml / 2 cucharaditas de menta fresca picada
25ml / 1 cucharadita de comino molido
400g de garbanzos en conserva, escurridos
sal y pimienta negra molida
hojas frescas de menta, como adorno

4-6 PERSONAS

1 Verter el caldo en una cazuela grande y llevarlo a ebullición. Agregar el pimiento verde, los calabacines, las zanahorias y el apio. Cocer a fuego vivo 2-3 minutos, removiendo a menudo, hasta que las verduras empiecen a ablandarse.

2 Incorporar a la cazuela las patatas y los tomates; sazonar con el pimentón, la menta picada y el comino. Añadir los garbanzos y remover para que se mezcle bien todo.

3 Cuando vuelva a hervir, reducir el fuego, cubrir la cazuela y cocer a fuego lento 30 minutos, o hasta que los garbanzos y las patatas estén en su punto. Sazonar al gusto; servir caliente con hojas de menta.

CONSEJO DEL CHEF

Los garbanzos son típicos de este plato en Oriente Medio; puede sustituirlos por alubias rojas o blancas, si lo prefiere.

Tarta de Manzana, Cebolla y Gruyère

La manzana rallada da un sutil aroma a esta tarta. Emplee queso gruyère, u otros quesos fuertes como cheddar, manchego semi, o roncal semiseco.

INGREDIENTES

250g / 2 tazas de harina
1,5ml / 1/4 cucharadita de polvo de mostaza
75g / 6 cucharadas de margarina blanda
75g / 6 cucharadas de queso rallado fino, gruyère u otro
30ml / 2 cucharadas de agua
lechuga o escarola, de acompañamiento

PARA EL RELLENO

25g / 2 cucharadas de mantequilla
1 cebolla grande, picada fina
2 manzanas pequeñas, peladas y ralladas
2 huevos grandes
150ml / 2/3 taza de crema de leche espesa
1,5ml / 1/4 cucharadita de hierbas secas
2,5ml / 1/2 cucharadita de mostaza en polvo
115g de queso gruyère, o el escogido
sal y pimienta negra molida

4-6 PERSONAS

1 Para la pasta, cerner la harina y mezclarla en un bol con la sal y la mostaza. Añadir la margarina y el queso hasta obtener una mezcla grumosa. Añadir agua y amasar. Dejar reposar tapada unos 30 minutos.

2 Mientras, preparar el relleno: fundir la mantequilla en una sartén, añadir la cebolla y rehogar a fuego suave 10 minutos, removiendo, sin llegar a dorar la cebolla. Añadir la manzana y rehogar 2-3 minutos todo. Retirar y dejar enfriar.

3 Precalentar el horno a 200° C / Gas 6. Extender la masa y fondear con ella un molde de 20 cm, previamente engrasado. Dejar enfriar 20 minutos. Forrar el interior con papel de barba, poniendo dentro un peso. Hornear 20 minutos.

4 Batir los huevos, la crema de leche, las hierbas y la mostaza; sazonar. Rallar 3/4 partes del queso y añadir a la mezcla; cortar el resto en láminas y reservar. Una vez cocida la masa, retirar el papel de dentro y el peso, y rellenar con la mezcla.

5 Cubrir con los trocitos de queso. Reducir la temperatura del horno a 190° C / Gas 5. Devolver la tarta al horno y cocer otros 20 minutos, hasta que el relleno adquiera consistencia. Servir fría o caliente, con lechuga o escarola.

LENTEJAS VERDES CON CEBOLLAS DULCES

Un plato delicioso, muy completo y de suave aroma. Las lentejas verdeazuladas de Puy (Francia) son una buena elección, pero puede emplear cualquier otro tipo de lentejas.

INGREDIENTES

30ml / 2 cucharadas de aceite de girasol
1 cebolla pequeña, picada
2 dientes de ajo, machacados
175g / 1 taza de lentejas verdes
60ml / 2 1/3 tazas de caldo de verduras
150ml / 2/3 taza de vino tinto
5ml / 1 cucharadita de salvia fresca, picada o una pizca de salvia en polvo
225g de cebollitas de platillo, peladas
50g / 4 cucharadas de mantequilla
50g / 4 cucharadas de azúcar moreno
sal y pimienta negra molida
25g de anacardos salados y ramitas de tomillo para la presentación

3-4 PERSONAS

1 Calentar el aceite en una cazuela; sofreír la cebolla y el ajo. Incorporar las lentejas y freír durante 3 minutos.

2 Verter dentro el caldo, el vino tinto y la salvia; llevar a ebullición. Cubrir y cocer a fuego lento 20 minutos, removiendo, hasta que las lentejas estén tiernas. Añadir más caldo si es preciso.

3 Mientras, en una sartén, freír las cebollas con la mantequilla y el azúcar, 5-7 minutos, hasta que el azúcar comience a caramelizarse y las cebollas estén tiernas. Remover a ratos.

4 Servir el plato con los anacardos por encima, el adorno de ramitas de tomillo y la guarnición de cebollitas crudas.

Barquitas de Champiñones

Los puddings individuales al estilo Yorkshire, con un relleno de champiñones fácil y rápido de preparar, pueden gustar a toda la familia.

Ingredientes

1 huevo
115g / 1 taza de harina
300ml / 1¼ tazas de leche
una pizca de sal
aceite, para engrasar los moldes

Para el relleno

15ml / 1 cucharada de aceite de girasol
115g de champiñones o setas, laminados
unas gotas de zumo de limón
10ml / 2 cucharaditas de perejil fresco o tomillo picados
¼ de pimiento rojo, picado
sal y pimienta negra molida
hojas de albahaca frescas en juliana, y hojas enteras como adorno

4 Personas

1 Para hacer las barquitas, batir los huevos y la harina, añadiendo despacio un poco de leche para ligar la mezcla, e incorporando luego el resto para evitar los grumos. Sazonar y dejar reposar unos 10-20 minutos.

2 Precalentar el horno a 190° C / Gas 5. Poner un poco de aceite en 8 moldes de tartaletas y calentar en el horno 4-5 minutos. Verter la mezcla en los moldes calientes y hornear 20 minutos, hasta que la masa suba del todo y esté crujiente.

Consejo del Chef

Es importante que los moldes y el horno estén bien calientes, para que la masa no resulte pesada, dura o grasa. Si no sube lo suficiente, tal vez sea porque la mezcla es demasiado clara.

3 Mientras, para el relleno, calentar el aceite y saltear los champiñones con el zumo de limón y las hierbas, sazonados, hasta que se evapore la mayor parte del líquido. Añadir el pimiento rojo al final, para que quede crujiente. Rectificar de sal.

4 Rellenar las barquitas calientes con una cuchara, echar por encima la albahaca y servir en seguida.

TARRINA DE BRÉCOL Y CASTAÑAS

Esta atractiva tarrina, apetitosa tanto fría como caliente, puede ser el espléndido plato principal de una cena... también es ideal para un picnic.

INGREDIENTES

450g de brécol, cortado en ramitos
225g de castañas cocidas, troceadas
50g / 1 taza de pan integral, recién rallado
60ml / 4 cucharadas de yogur natural desnatado
30ml / 2 cucharadas de queso parmesano, finamente rallado
sal, nuez moscada rallada y pimienta negra molida
2 huevos, batidos
patatas nuevas y lechuga como acompañamiento

4-6 PERSONAS

1 Precalentar el horno a 180° C / Gas 4. Forrar con papel de barba o de hornear un molde de plumcake de 900g.

2 Escaldar o cocer al vapor el brécol 3-4 minutos. Escurrir bien. Reservar una cuarta parte y picar el resto muy fino.

3 Poner en un bol las castañas cocidas con el pan rallado, el yogur y el queso; sazonar al gusto con sal, nuez moscada y pimienta. Añadir el brécol picado, los ramitos reservados y los huevos batidos, y remover hasta mezclarlo todo bien.

4 Con un cucharón, meter la mezcla en el molde. Colocarlo en una fuente de horno y cocer al baño maría durante 20-25 minutos. Sacar del horno y desmoldar en una fuente de servir. Cortar en rebanadas y servir con las patatas y la lechuga.

Garbanzos y Alcachofas Gratinados

Una receta sabrosa y muy fácil de preparar, con una singular combinación de sabores que sorprenderá a amigos y familiares.

Ingredientes

400g de garbanzos en conserva, escurridos
400g de alubias pintas (u otras) en conserva, escurridas
137g de corazones de alcachofa enlatados, picados, con un poco de aceite de oliva
1 pimiento morrón, sin semillas, picado
1 diente de ajo, majado
15ml / 1 cucharada de perejil fresco picado
5ml / 1 cucharadita de zumo de limón
150ml / 2/3 taza de cuajada o kefir
1 yema de huevo
150g / 1/2 taza de queso cheddar o manchego semiseco rallado
sal y pimienta negra molida

4 Personas

1 Precalentar el horno a 180° C / Gas 4. Juntar los garbanzos, las alubias, las alcachofas y el pimiento morrón.

2 Añadir las alcachofas junto con un poco de aceite de oliva, lo suficiente para aliñar la mezcla. Añadir el ajo, el perejil y el zumo de limón; sazonar.

3 Mezclar la cuajada, la yema de huevo y el queso; sazonar. Extender esta mezcla sobre las legumbres (izquierda). Hornear 25-30 minutos y gratinar.

BRÉCOL Y COLIFLOR GRATINADOS

El brécol y la coliflor combinan muy bien, y esta salsa es mucho más ligera que la clásica salsa de queso.

INGREDIENTES

1 coliflor pequeña, de unos 250g
1 cabeza pequeña de brécol, de unos 250g
sal
120ml / 1/2 taza de yogur natural desnatado
115g / 1 taza de queso cheddar rallado
5ml / 1 cucharadita de mostaza en grano
30ml / 2 cucharadas de miga de pan integral
sal y pimienta negra molida

4 PERSONAS

CONSEJO DEL CHEF

Al preparar el brécol y la coliflor, elimine las partes correosas de los tallos y divida en ramitos de tamaño similar, para que se hagan uniformemente.

1 Trocear la coliflor y el brécol en ramitos y cocer en agua hirviendo ligeramente salada 8-10 minutos, hasta que estén tiernos. Escurrir y poner en una fuente de horno.

2 En un bol mezclar el yogur, el queso y la mostaza; sazonar la mezcla con la pimienta. Distribuir esta salsa sobre la coliflor y el brécol.

3 Espolvorear la miga de pan sobre la salsa y colocar la fuente a gratinar en un horno previamente recalentado. Retirar cuando la superficie esté dorada y burbujee. Servir bien caliente.

ENSALADA DE ZANAHORIAS AL LIMÓN

Disfrute en cualquier estación de esta sabrosa, refrescante y atractiva ensalada. Puede rociarla con semillas de sésamo al servirla.

INGREDIENTES

450g de zanahorias pequeñas
la ralladura y el zumo de ½ limón
15ml / 1 cucharada de azúcar moreno
60ml / 4 cucharadas de aceite de girasol
5ml / 1 cucharadita de aceite de sésamo
5ml / 1 cucharadita de orégano fresco picado y unas hojas para presentar
sal y pimienta negra molida

4-6 PERSONAS

CONSEJO DEL CHEF

Puede usar otras hortalizas de raíz para esta ensalada; por ejemplo, sustituir media zanahoria por nabo, apio o rabanitos.

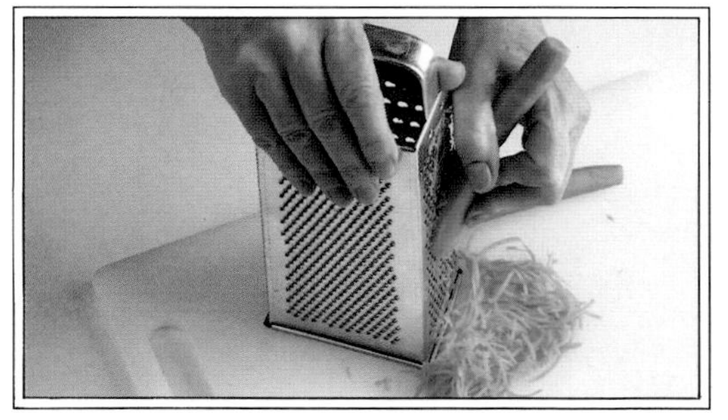

1 Poner la zanahoria rallada en un bol grande. Mezclar con la ralladura de limón, 15-30ml / 1-2 cucharadas de zumo, el azúcar y los aceites, hasta ligar la salsa.

2 Añadir más zumo de limón y sazonar al gusto; espolvorear el orégano, remover un poco y dejarla reposar una hora antes de servir. Decorar con las hojitas de orégano.

ENSALADA DE FRUTAS FRESCAS

La lechuga, el sabroso queso, las uvas dulces, los trozos crujientes de manzana y los picatostes de pan frito con ajo componen una interesante y refrescante ensalada.

INGREDIENTES

½ lechuga rizada
75g de uvas, sin semillas, partidas en mitades
50g / ½ taza de queso manchego seco, rallado
1 manzana grande, sin el corazón, partida en rodajas finas
45ml / 3 cucharadas de picatostes al ajo

PARA LA VINAGRETA

15ml / 1 cucharada de mostaza francesa
15ml / 1 cucharada de vinagre blanco
una pizca de azúcar
60ml / 4 cucharadas de aceite de girasol
sal y pimienta negra molida

4 PERSONAS

1 Trocear la lechuga y colocarla en una ensaladera. Incorporar las uvas, el queso y la manzana.

2 Para hacer el aliño de vinagreta, poner en un bol pequeño la mostaza, el vinagre, el azúcar, la sal y la pimienta; remover poco a poco mientras se añade el aceite para ligar la salsa.

3 Aliñar la ensalada con la salsa; echar por encima los picatostes al ajo y servir inmediatamente.

ENSALADA DE PATATAS Y BERROS

Las patatas nuevas son deliciosas tanto frías como calientes, y esta ensalada nutritiva y llena de color es ideal para sacarles el máximo partido.

INGREDIENTES

450g de patatas nuevas pequeñas, con piel
1 ramillete de berros
225g / 1½ tazas de tomatitos (variedad cereza), partidos por la mitad
30ml / 2 cucharadas de semillas de calabaza
45ml / 3 cucharadas de queso fresco no graso
15ml / 1 cucharada de vinagre de sidra
5ml / 1 cucharadita de azúcar moreno
sal y pimentón

4 PERSONAS

CONSEJO DEL CHEF

Si prepara esta ensalada para un picnic, lleve aparte el aderezo y alíñela en el momento de servir.

1 Cocer las patatas en agua hirviendo ligeramente salada, hasta que estén tiernas; escurrir y dejar enfriar.

2 Poner en un bol las patatas, los berros, los tomatitos y las semillas de calabaza, y mezclar bien.

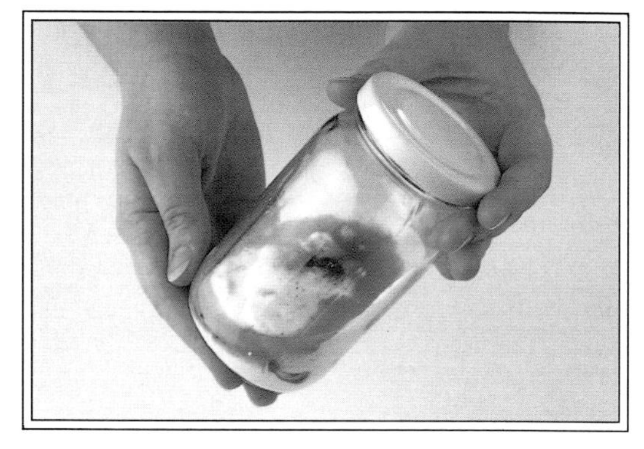

3 Poner en un frasco el queso fresco, el vinagre, el azúcar, la sal y el pimentón. Cerrarlo y agitar vigorosamente hasta ligar la salsa. Aliñar con este aderezo al servir.

VARIACIÓN

La ensalada de patatas es un plato esencial en los menús veraniegos, que admite innumerables combinaciones. Lo esencial es la calidad de la patata -lo más nueva posible-, su sabor es mucho mejor si es así. En lugar de los berros, puede poner hojas de espinacas tiernas, o las de la oruga, de sabor picante, y también combinar los sabores de dos o tres plantas. Puede emplear cuajada en vez de queso fresco, y otro tipo de vinagre menos ácido que el de sidra, si lo prefiere.

PATATAS ASADAS CON ESPECIAS

Las patatas asadas son un plato de universal aceptación. Esta receta combina el jengibre con cálidas especias en un sabor insólito y estimulante.

INGREDIENTES

2 patatas grandes, para hornear
5ml / 1 cucharadita de aceite de girasol
1 cebolla pequeña, picada fina
2,5 cm de raíz de jengibre, rallada
5ml / 1 cucharadita de comino molido
5ml / 1 cucharadita de coriandro molido
2,5ml / 1/2 cucharadita de cúrcuma molida
sal de ajo, al gusto
yogur natural y hojas de coriandro fresco para servir

2-4 PERSONAS

1 Precalentar el horno a 190° C / Gas 5. Pinchar las patatas con un tenedor. Hornear unos 40 minutos.

2 Cortar las patatas por la mitad a lo largo y con una cuchara extraer el centro de su pulpa; reservar. Calentar el aceite en una sartén, poner la cebolla y rehogarla unos minutos.

3 Incorporar a la cebolla el jengibre, el comino, el coriandro y la cúrcuma; rehogar a fuego lento 2 minutos. Añadir la pulpa de la patata y la sal de ajo; remover para tener una masa homogénea.

4 Cocer 2 minutos más, removiendo. Rellenar con esta mezcla las mitades de las patatas; decorar cada una con una cucharadita de yogur y una hoja de coriandro. Se sirve caliente.

REVUELTO DE COLIFLOR Y BRÉCOL CON AVELLANAS

La rica salsa de avellanas transforma los ramitos de coliflor y brécol en un original plato de verduras.

INGREDIENTES

175g de coliflor, partida en ramitos
175g de brécol, partido en ramitos
15ml / 1 cucharada de aceite de girasol
50g / ½ taza de avellanas, picadas finas
60ml / 4 cucharadas de crema de leche, o yogur
sal y pimienta negra molida
guindilla, en polvo o picada muy fina
pimiento morrón, para la presentación

4 PERSONAS

1 Asegurarse de que los ramitos de coliflor y brécol son de tamaño parecido. Calentar el aceite en una sartén y rehogar los ramitos a fuego vivo 1 minuto.

2 Reducir el fuego y continuar rehogando 5 minutos más, removiendo. Luego añadir las avellanas y sazonar al gusto.

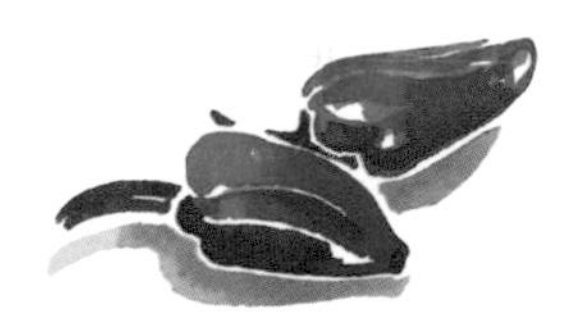

3 Cuando los ramitos estén crujientes y casi tiernos, añadir la crema de leche removiendo y calentar a fuego lento hasta que la mezcla esté bien caliente. Espolvorear la guindilla picada, adornar con el pimiento morrón cortado a tiras, y servir enseguida.

CONSEJO DEL CHEF

El secreto está en el tacto crujiente de los ramitos; fríalos, pues, el tiempo justo para que estén muy calientes y absorban todos los sabores.

TORTELLINI CON SALSA DE QUESO

He aquí una forma rápida de preparar una deliciosa salsa de queso. Pero hay que tomarla muy caliente, antes de que comience a espesarse.

INGREDIENTES

450g de tortellini frescos
115g de requesón o crema de queso
60-90ml / 4-6 cucharadas de leche
50g / 1/2 taza de mozzarella, rallada
50g / 1/2 taza de queso parmesano, rallado
2 dientes de ajo, majados
30ml / 2 cucharadas de hierbas frescas picadas, tales como perejil, cebolletas, albahaca u orégano, y hojas para adornar
sal y pimienta negra molida

4 PERSONAS

1 Cocer la pasta siguiendo las instrucciones del fabricante, en agua hirviendo con sal; remover a ratos.

2 Mientras, batir con suavidad el requesón o crema de queso con la leche en un cazo grande. Cuando estén bien mezclados, añadir la mozzarella, la mitad del parmesano, el ajo y las hierbas picadas.

3 Escurrir la pasta y mezclar con la salsa. Remover bien y cocer a fuego suave 1-2 minutos para fundir el queso. Sazonar y adornar con las hojas de las hierbas. Espolvorear el resto del parmesano y servir.

PASTA CON SALSA DE GARBANZOS

Una combinación inusual, en la que el garbanzo proporciona a este plato de pasta un delicioso punto. Rápido y sencillo de elaborar.

INGREDIENTES

5ml / 1 cucharadita de aceite de oliva
1 cebolla pequeña, picada fina
1 diente de ajo, machacado
1 tallo de apio, picado fino
425g de garbanzos en conserva, escurridos
250ml / 1 taza de salsa de tomate
225g de pasta (fideos gruesos o macarrones)
sal y pimienta negra molida
perejil fresco picado, para presentar

4 PERSONAS

1 Calentar el aceite en una sartén antiadherente y saltear la cebolla, el ajo y el apio hasta que estén transparentes. Añadir los garbanzos y la salsa de tomate; cubrir y hervir a fuego lento 15 minutos.

2 Cocer la pasta en una olla con abundante agua salada, siguiendo las instrucciones del fabricante. Escurrir y mezclar con la salsa (izquierda); sazonar al gusto. Rociar con el perejil picado y servir enseguida.

MACARRONES CON VERDURAS FRESCAS

Conocida como pasta primavera, esta receta tradicional extrae todo el sabor de las verduras frescas. Para que la salsa sea más ligera, usar yogur griego en vez de crema de leche.

INGREDIENTES

115g de ramitos de brécol
115g de puerros pequeños
225g de espárragos
1 bulbo de hinojo pequeño
115g de guisantes frescos o congelados
40g / 3 cucharadas de mantequilla
1 chalote, picado
45ml / 3 cucharadas de hierbas frescas picadas, como perejil, tomillo y salvia
300ml / 1¼ tazas de crema de leche densa
350g de macarrones
sal y pimienta negra molida
queso parmesano, rallado, para servir

4 PERSONAS

1 Trocear el brécol en ramitos pequeños. Cortar los puerros y espárrragos en trozos de 5 cm. Eliminar las hojas duras externas del hinojo y cortarlo en gajos, dejándolos unidos por la base para que el bulbo conserve su forma.

2 Cocer las verduras por separado en agua hirviendo con sal hasta alcanzar su punto; puede usar la misma agua para hervirlas. Escurrir bien y mantener calientes.

3 En un cazo aparte fundir la mantequilla, añadir el chalote picado y rehogar, removiendo de vez en cuando hasta que se ablande, pero sin dorarla. Añadir las hierbas y la crema de leche. Cocer a fuego lento hasta que espese.

4 Mientras, cocer la pasta en agua hirviendo con sal durante 10 minutos. Escurrir y añadirle la salsa. Remover y sazonar con pimienta.

5 Servir caliente, espolvoreada con el queso parmesano.

LASAÑA DE BERENJENAS

Un rico y completo plato que sólo precisa el acompañamiento de ensalada verde. Se congela bien.

INGREDIENTES

3 berenjenas, cortadas en rodajas
75ml / 5 cucharadas de aceite de oliva
2 cebollas grandes, picadas finamente
800g de tomate triturado en conserva
5ml / 1 cucharadita de hierbas secas
2-3 dientes de ajo, majados
6 placas de lasaña frescas
sal y pimienta negra molida
hojas de salvia fresca, para adornar

PARA LA SALSA DE QUESO

25g / 2 cucharadas de mantequilla
25g / 2 cucharadas de harina
300ml / 1¼ tazas de leche
2,5ml / ½ cucharadita de mostaza inglesa
115g / 8 cucharadas de queso cheddar o manchego seco rallado
15g / 1 cucharada de parmesano rallado

4 PERSONAS

CONSEJO DEL CHEF

Para congelar, cocer sólo 20 minutos; dejar enfriar. Descongelar en el horno a 190° C / Gas 6 durante 35-45 minutos.

1 Poner las berenjenas en capas en un escurridor, espolvoreando sobre cada una un poco de sal. Dejar reposar 1 hora. Luego lavar y escurrir en papel de cocina.

2 Calentar en la sartén 60ml / 4 cucharadas de aceite; freír las berenjenas y escurrir en papel de cocina. Añadir el resto del aceite a la sartén y sofreír las cebollas 5 minutos, añadiendo luego los tomates, hierbas y ajos; sazonar. Poner en un cazo, tapar y cocer a fuego lento 30 minutos. Precalentar el horno hasta los 200° C / Gas 6.

3 Mientras tanto, hacer la salsa de queso. Fundir la mantequilla en un cazo, añadir la harina, cocer 1 minuto removiendo. Verter la leche despacio. Hervir 2 minutos. Retirar y añadir la mostaza y los quesos. Sazonar.

4 Poner en una fuente de horno la mitad de las berenjenas y, sobre éstas, la mitad de la salsa de tomate. Repetir las capas. Cubrir con la salsa de queso y hornear durante 30 minutos. Adornar con las hojas de salvia y servir.

PAELLA DORADA DE VERDURAS

El arroz silvestre no es, en realidad, arroz, sino una planta americana. Éste proporciona el sabor a frutos secos y la textura crujiente de este plato.

INGREDIENTES

una pizca de hebras de azafrán o 5ml / 1 cucharadita de cúrcuma molida
750ml / 3 ²/₃ tazas de caldo de verduras caliente
90ml / 6 cucharadas de aceite de oliva
2 cebollas grandes, cortadas en aros
3 dientes de ajo, majados
275g / 1¹/₂ taza de arroz largo
50g / ¹/₃ taza de arroz silvestre
175g de pasta de calabaza o nuez, picada
175g de zanahorias, cortadas en juliana
1 pimiento amarillo, sin semillas, cortado
4 tomates, pelados y picados
115g de champiñones, cortados a cuartos
sal y pimienta negra molida
tiras de pimiento rojo, amarillo y verde, para la presentación

4 PERSONAS

1 Poner el azafrán en un tazón con 45-60ml / 3-4 cucharadas del caldo. Macerar 5 minutos. Entre tanto, calentar el aceite en una paella grande de base pesada y sofreír las cebollas y ajos durante 2-3 minutos.

2 Añadir los arroces y remover 2-3 minutos hasta que se impregnen del aceite. Incorporar el resto del caldo con la pasta de calabaza o nuez picada y el azafrán con su caldo de maceración. Remover hasta que arranque a hervir; reducir el fuego, cubrir la paella con una tapadera o con papel de aluminio y cocer a fuego suave 15 minutos. No volver a dar vueltas mientras se hace, salvo que sea estrictamente necesario.

3 Añadir las zanahorias, el pimiento y los tomates; sazonar. Destapar la paella y cocer a fuego suave otros 5 minutos, o hasta que el arroz esté a punto.

4 Añadir los champiñones; probar y acabar la cocción, destapada, hasta que se hagan los champiñones, pero sin que la paella se pegue. Adornar con las tiras de pimiento y servir en seguida.

TALLARINES CON SALSA DE GUISANTES, ESPÁRRAGOS Y HABAS

Los guisantes y la salsa de salvia combinan de maravilla con las verduras frescas en este ligero y veraniego plato de pasta.

INGREDIENTES

15ml / 1 cucharada de aceite de oliva
1 diente de ajo, machacado
6 cebollas tiernas, cortadas en rodajas
225g / 1 taza de guisantes congelados, ya descongelados
350g de espárragos tiernos naturales
30ml / 2 cucharadas de salvia fresca, picada, y hojas enteras para adornar
ralladura de 2 limones, muy fina
450ml / 3/4 taza de caldo de verduras o agua
225g de habas pequeñas congeladas, ya descongeladas
450g de tallarines
60ml / 4 cucharadas de yogur desnatado

4 PERSONAS

1 Calentar el aceite en una cazuela; sofreír el ajo y las cebollas 2-3 minutos, hasta que estén blandas.

2 Agregar los guisantes, un tercio de los espárragos, la salvia, la ralladura de limón y el caldo o agua. Cocer a fuego lento unos 10 minutos. Pasar por la batidora hasta ligar una crema suave.

3 Entre tanto sacar las habas de sus vainas, que se tiran. Cortar el resto de los espárragos en trozos de 5 cm, eliminando los extremos más fibrosos. Escaldar en agua hirviendo durante 2 minutos.

4 Cocer los tallarines durante 10 minutos hasta que estén al dente. Escurrir.

5 Añadir los espárragos y las habitas peladas a la salsa; cocer 3 minutos. Echar el yogur. Verter la salsa sobre los tallarines y remover. Adornar con las hojas de salvia y servir en seguida.

POLENTA CON TOMATES ASADOS

La polenta es un alimento muy nutritivo que procede del norte de Italia. En esta receta se presenta acompañada de tomates y aceitunas negras.

INGREDIENTES

3 litros / 8 tazas de agua
500g de polenta de cocción rápida
aceite, para engrasar
12 tomates grandes y maduros, en rodajas
4 dientes de ajo, en finas láminas
30ml / 2 cucharadas de orégano fresco picado o mejorana
115g / 1 taza de aceitunas negras sin hueso
sal y pimienta negra molida
30ml / 2 cucharadas de aceite de oliva

4-6 PERSONAS

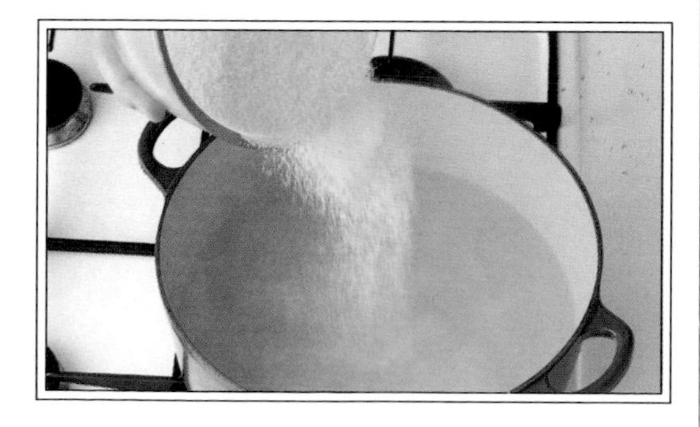

1 Poner a hervir el agua en una cazuela; echar la polenta removiendo para evitar que se formen grumos; cocer a fuego lento 5 minutos hasta que espese.

2 Retirar la cazuela del fuego; verter la polenta en un molde plano bajo de 23 x 33 cm. Alisar la superficie con una espátula y dejar enfriar.

3 Precalentar el horno a 180° C / Gas 4. Con un cortapastas de 7,5 cm de diámetro, marcar 12 círculos de polenta. Sacarlos del molde con la espátula y disponerlos en una fuente de horno, que habremos engrasado previamente, de forma que queden montados ligeramente uno encima de otro.

4 Cubrir, con una capa de tomates, ajo, orégano o mejorana y aceitunas. Rociar por encima unas gotitas de aceite y hornear durante 30-35 minutos. Servir enseguida.

ARROZ CON SEMILLAS Y ESPECIAS

Como variante del simple arroz hervido, este plato es un sabroso acompañamiento para servir con los curries especiados. El arroz basmati brinda la mejor textura y sabor, pero puede emplear arroz normal largo.

INGREDIENTES

5ml / 1 cucharadita de aceite de girasol
2,5ml / ½ cucharadita de cúrcuma molida
6 vainas de cardamomo, aplastadas
5ml / 1 cucharadita de semillas de coriandro
1 diente de ajo, majado
200g / 1 taza de arroz basmati
400ml / 1⅔ tazas de caldo de verduras
120ml / ½ taza de yogur natural
15ml / 1 cucharada de semillas de girasol
15ml / 1 cucharada de semillas de sésamo
sal y pimienta negra molida
hojas de coriandro frescas, para adornar

4 PERSONAS

1 Calentar el aceite en una sartén grande antiadherente y saltear durante 1 minuto, removiendo, la cúrcuma, el cardamomo, el coriandro y el ajo.

2 Incorporar el arroz y el caldo, y llevar a ebullición; cocer 15 minutos a fuego lento, tapado, o hasta que esté en su punto.

3 Añadir, removiendo, el yogur y las semillas tostadas de girasol y sésamo. Rectificar de sal y servir caliente, adornado con las hojas de coriandro.

CONSEJO DEL CHEF

Todas las semillas son ricas en minerales; por eso son el complemento perfecto de cualquier receta. Tostarlas ligeramente aumenta su sabor.

MACARRONES CON BRÉCOL Y GUINDILLA

Se puede hacer más o menos picante este plato variando la cantidad de guindilla. Cortarla muy fina, para que su sabor se extienda uniformemente.

INGREDIENTES

350g de macarrones
450g de brécol, troceado en ramitos pequeños
30ml / 2 cucharadas de caldo de verduras
1 diente de ajo, machacado
1 guindilla roja, en láminas, o 2,5ml / ½ cucharadita de salsa de chile
60ml / 4 cucharadas de yogur natural
30ml / 2 cucharadas de piñones o anacardos
sal y pimienta negra molida

4 PERSONAS

1 Poner la pasta en una cazuela con agua y sal, y cocer 8-10 minutos; en la misma cazuela, en una rejilla, cocer al vapor, a la vez, el brécol. Escurrir.

2 Poner en una sartén grande el caldo; cuando rompa a hervir, añadir los ajos y la guindilla. Saltear removiendo durante 2-3 minutos.

3 Incorporar a la sartén el brécol, la pasta y el yogur. Sazonar al gusto. Distribuir en platos individuales calientes, espolvorear los piñones y servir.

TALLARINES CON SALSA DE AVELLANAS AL PESTO

Quienes desean una alimentación saludable han de saber que las avellanas tienen menos grasas que otros frutos secos. Aquí se dan como alternativa a los piñones en la salsa al pesto.

INGREDIENTES

2 dientes de ajo machacados
25g / 1/4 taza de hojas frescas de albahaca
25g de avellanas
200ml / 1 taza de queso blando poco graso
225g de tallarines secos, o
450g de tallarines frescos
sal y pimienta negra molida

4 PERSONAS

1 Majar en el mortero, o trabajar con la batidora, el ajo, la albahaca, las avellanas y el queso, todo junto, hasta lograr una pasta suave.

2 En una cazuela grande cocer los tallarines en abundante agua hirviendo con sal durante 10 minutos o hasta que queden al dente. Escurrir.

3 Agregar a los tallarines la salsa y remover hasta conseguir una buena mezcla. Distribuir en platos individuales calientes, espolvorear la pimienta y servir.

PIZZA VEGETAL EN SARTÉN

Una exquisita mezcla de verduras frescas sobre una sabrosa pizza. Varíelas según la estación, buscando el contraste de colores, formas y texturas.

INGREDIENTES

PARA LA MASA DE LA PIZZA

175g de harina

5ml / 1 cucharadita de sal

½ sobre de levadura en polvo

15ml / 1 cucharada de aceite

unos 120ml / ½ taza de agua caliente

PARA CUBRIR LA BASE

115g / ½ taza de champiñones enlatados

50g de judías verdes finas cocidas

50g de ramitos de coliflor y de mazorquitas de maíz

6-8 tomatitos, partidos por la mitad

2-3 piezas de tomates secos en aceite, picados muy finos

30ml / 2 cucharadas de salsa de tomate preparada

50g / ½ taza de queso azul, rallado

aceite para engrasar

sal y pimienta negra molida

4 PERSONAS

1 Para hacer la masa de pizza, mezclar la harina, la sal y la levadura en un bol. Añadir el aceite y el agua suficiente para lograr una masa firme, suave. Amasar 5 minutos hasta tener una masa uniforme, elástica, no pegajosa. Extenderla en una sartén honda, de 18 cm de diámetro, o un molde bajo. Cubrir con los champiñones.

2 Disponer ordenadamente el resto de las verduras; salpimentar. Añadir las mitades de los tomatitos y los tomates secos picados.

3 Cubrir con la salsa de tomate y espolvorear el queso. Pintar con el aceite justo y espolvorear más sal y pimienta. Dejar reposar en un lugar caliente para que la masa suba.

4 Mientras tanto, precalentar el horno a 220° C / Gas 7. Hornear 15-20 minutos hasta que la pizza esté dorada por entero, burbujee en el centro y queden crujientes los bordes.

PIZZA CON VERDURAS FRESCAS

Se puede elaborar con las hortalizas propias de la estación del año. Escaldarlas o saltearlas antes de extenderlas en la base de pizza y hornear.

INGREDIENTES

PARA LA MASA DE LA PIZZA

350g / 3 tazas de harina
5ml / 1 cucharadita de sal
una pizca de azúcar
1 sobre de levadura en polvo
unos 250ml / 1 taza de agua caliente

PARA CUBRIR LA BASE

400g de tomates frescos pelados o en lata y escurridos
225g de ramitos de brécol
225g de espárragos frescos en trozos
3 calabacines pequeños, cortados a lo largo
75ml / 5 cucharadas de aceite de oliva
50g / 1/3 taza de guisantes frescos o congelados
4 cebollas tiernas, cortadas en ruedas
75g de mozzarella, en dados
10 hojas frescas de albahaca, troceadas
2 dientes de ajo, picados muy finos
sal y pimienta negra molida

4 PERSONAS

1 Para hacer la masa, tamizar la harina y la sal, y mezclar con el azúcar y la levadura. Añadir el agua para formar una masa suave. Amasar 5 minutos. Tapar y dejar reposar en un lugar templado 1 hora o hasta que doble su tamaño.

2 Pasar los tomates por un pasapurés y eliminar parte del agua. Escaldar el brécol, los espárragos y los calabacines, 2-3 minutos. Calentar 2 cucharadas de aceite y sofreír 5 minutos los guisantes y las cebollas.

3 Precalentar el horno a 240° C / Gas 9. Extender la masa de pizza y hacer 4 bases de 20 cm, que pondremos en la placa del horno.

4 Cubrir la base con el puré de tomate, sin llegar a los bordes. Disponer las verduras sobre el tomate y espolvorear la mozzarella, la albahaca, el ajo, la sal y la pimienta. Untar con el resto del aceite. Hornear las pizzas unos 20 minutos o hasta que estén doradas y crujientes, tiernas las verduras y bien fundido el queso.

FRANGOLLO CON HINOJO

Combinando sabores dulces y fuertes, esta crujiente y original ensalada se adereza con una deliciosa vinagreta de ajo.

INGREDIENTES

115g / ¾ de taza de frangollo (trigo triturado grueso cocido)
1 bulbo grande de hinojo, picado fino
115g de judías verdes finas, escaldadas y picadas
1 naranja pequeña
1 diente de ajo, machacado
30-45ml / 2-3 cucharadas de aceite de girasol
15ml / 1 cucharada de vinagre blanco
sal y pimienta negra molida
½ pimiento morrón en tiras finas

4 PERSONAS

1 Poner el frangollo o bulgur en un bol y cubrirlo con agua hirviendo. Dejar reposar 10-15 minutos, removiendo de vez en cuando. Cuando se haya hinchado hasta doblar su volumen, escurrir bien.

2 Cuando aún esté tibio, añadir el hinojo picado y las judías; remover. Rallar muy fina la piel de la naranja y reservar; pelar la naranja, cortarla en daditos y mezclarla con la ensalada.

3 Añadir el ajo, el aceite, el vinagre y la ralladura de naranja, y salpimentar; mezclar bien. Aliñar la ensalada con este aderezo. Se dejar reposar 2-3 horas antes de servirla decorada con las tiras de pimiento.

PASTEL DE CHOCOLATE DURO

Es un pudding muy rico, perfecto para aprovechar las sobras. No es preciso consumirlo todo enseguida, pues se conserva muy bien.

INGREDIENTES

115g / 1/2 taza de mantequilla fundida, y una pizca más para engrasar
225g de galletas de jengibre, picadas finas
50g de migas de bizcocho
60-75ml / 4-5 cucharadas de zumo de naranja
115g / 1/2 taza de dátiles sin hueso, tibios
25g / 1/4 taza de nueces picadas finas
175g de chocolate amargo
300ml / 1 1/4 tazas de nata para montar
chocolate rallado y azúcar glass, y
1 naranja, dividida en gajos, para la presentación.

6-8 PERSONAS

1 Pintar un molde de fondo desmontable, de 18 cm, con un poco de mantequilla. Mezclar en un bol la mantequilla con el jengibre picado. Fondear con la mezcla los costados y la base del molde, apretando con el dorso de una cuchara. Poner en la nevera 15 minutos mientras se prepara el relleno.

2 Poner en un bol las migas de bizcocho con el zumo de naranja; dejar reposar. Aplastar los dátiles con un tenedor; añadir al bol con las nueces picadas y mezclar.

3 En un cazo pequeño, fundir el chocolate amargo con 45-60ml de la nata. Montar el resto de la nata y juntar con la mezcla de chocolate.

4 Añadir la mezcla del cazo a la del bol y remover bien. Verterlo todo en el molde ya fondeado. Marcar las porciones y dejar que repose. Cubrir con el chocolate molido y espolvorear el azúcar glass. Cortar por las marcas y servir adornado con los gajos de naranja.

CONSEJO DEL CHEF

Para hacer migas de bizcocho o galletas, tritúrelos con una batidora, con un minipímer o métalos en una bolsa de plástico fuerte y pase por encima el rodillo de amasar.

CRUMBLE DE MANZANA Y ALBARICOQUE

Convendrá cocer primero el relleno de frutas para obtener un delicioso contraste entre la textura blanda de éste y la capa crujiente del crumble.

INGREDIENTES

425g de albaricoques en almíbar, partidos en mitades
450g de manzanas para asar, peladas y cortadas en láminas
azúcar grueso, al gusto (opcional)
ralladura de 1 naranja
nuez moscada rallada, al gusto

PARA LA CUBIERTA

200g / 1¾ taza de copos de avena
150g / 10 cucharadas de mantequilla, o margarina de girasol
50g / ¼ taza de azúcar moreno
azúcar de caña para espolvorear

4-6 PERSONAS

1 Precalentar el horno a 190° C / Gas 5. Escurrir las mitades de albaricoques, reservando un poco de almíbar.

2 Poner en un cazo ancho las láminas de manzana, añadir el almíbar y azúcar al gusto. Cocer a fuego lento unos 5 minutos para que se ablande la manzana.

3 Pasar la manzana a una fuente de horno; juntar con los albaricoques y la ralladura de naranja. Añadir una pizca de nuez moscada. Remover y mezclar bien.

4 Para hacer la cobertura, desmenuzar los copos de avena, la harina y la mantequilla o margarina hasta formar pequeños grumos. Puede hacerlo también con la batidora. Añadir el azúcar moreno.

5 Distribuir la pasta sobre las frutas, extendiéndola bien. Espolvorear el azúcar de caña. Hornear unos 30 minutos hasta que la cobertura esté crujiente y dorada. Deje que se enfríe un poco antes de servir.

PERAS A LA SIDRA

Cualquier variedad de peras es buena para cocinarlas, pero mejor emplear aquí las de consistencia firme, que no se deshagan con facilidad.

INGREDIENTES

4 peras fuertes
250ml / 1 taza de sidra seca
1 cáscara fina de limón
1 varilla de canela en rama
30ml / 2 cucharadas de azúcar moreno
5ml / 1 cucharadita de arrurruz
15ml / 1 cucharada de agua fría
canela en polvo, para espolvorear
crema de leche espesa, para servir

4 PERSONAS

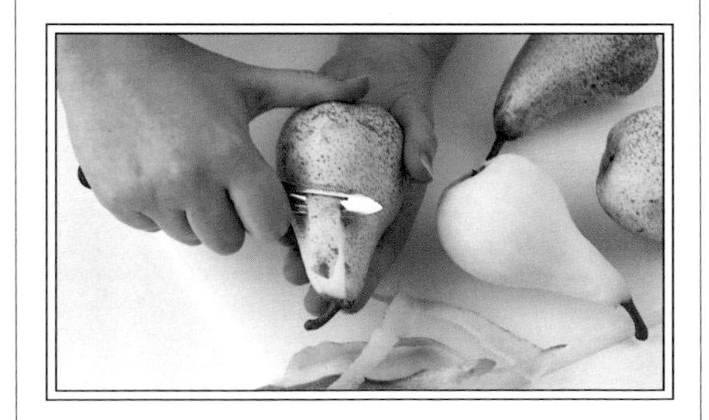

1 Pelar con cuidado las peras. Ponerlas enteras, con el rabo, en una cazuela con la sidra, la canela en rama y la corteza de limón. Se cuecen suavemente 15-20 minutos.

2 Sacar las peras de la cazuela y hervir el jarabe, destapado, para reducirlo a la mitad. Quitar la corteza de limón y la canela, y añadir el azúcar.

3 Ablandar con agua en un bol el arrurruz e incorporarlo luego al jarabe (derecha). Llevar la mezcla a ebullición y remover constantemente hasta que quede espeso y transparente.

4 Verter el jarabe sobre las peras; espolvorear la canela. Dejar reposar y servirlo caliente con la crema de leche (opcional).

REMOLINOS DE FRAMBUESAS Y FRUTA DE LA PASIÓN

Si no tiene a mano fruta de la pasión, puede preparar este postre sólo con frambuesas. Empléelas aunque estén demasiado maduras.

INGREDIENTES

350g / 2½ tazas de frambuesas
2 frutas de la pasión
225g / 1⅔ tazas de queso fresco desnatado
30ml / 2 cucharadas de azúcar
frambuesas y hojas de menta frescas, para decorar

4 PERSONAS

1 Machacar las frambuesas con un tenedor en un bol; en otro, mezclar la pulpa de la fruta de la pasión con el queso fresco y el azúcar.

2 En unas copas de cristal, ir poniendo alternadamente cucharadas de frambuesas y de la mezcla con queso; remover para crear efectos de remolino.

3 Enfriar en la nevera hasta el momento de servir. Decorar cada copa con una frambuesa entera en el centro y una hoja de menta fresca.

TORTA DE MANZANAS Y AVELLANAS A LA MENTA

La manzana y la menta son un relleno insólito para esta torta de frutos secos, pero puede sustituirlas por frambuesas o fresas, o cualquier fruta de verano, si lo prefiere.

INGREDIENTES

150g / 1 taza de harina de trigo integral
50g / 4 cucharadas de avellanas, molidas
50g / 4 cucharadas de azúcar glass, tamizado
150g / 10 cucharadas de mantequilla sin sal o margarina
harina, para trabajar la masa
3 manzanas fuertes
5ml / 1 cucharadita de zumo de limón
15-30ml / 1-2 cucharadas de azúcar
15ml / 1 cucharada de menta fresca, picada o 5ml / 1 cucharadita de menta en polvo
120ml / 1 taza de nata para montar o crema de leche
unas gotas de esencia de vainilla
hojas de menta y avellanas enteras, para la presentación

8-10 PERSONAS

CONSEJO DEL CHEF

La base puede elaborarse con antelación, ya que, en frío y dentro de un recipiente hermético, se conserva bien 7-10 días.

1 Mezclar la harina, las avellanas molidas y el azúcar glass con la mantequilla. Puede hacerlo manualmente o con la batidora, pero tenga cuidado de no trabajar la masa en exceso. Añadir un poco de agua fría, si es menester, y amasar un poco. Envolver la masa en papel de barba o sulfurizado y meter en la nevera 30 minutos.

2 Precalentar el horno a 160° C / Gas 3. Cortar la masa por la mitad y extender cada mitad sobre una superficie enharinada, para formar dos discos de 18 cm. Poner en una placa de horno, sobre papel de barba o sulfurizado y hornear 40 minutos, o hasta que queden crujientes. No dorar demasiado. Dejar enfriar.

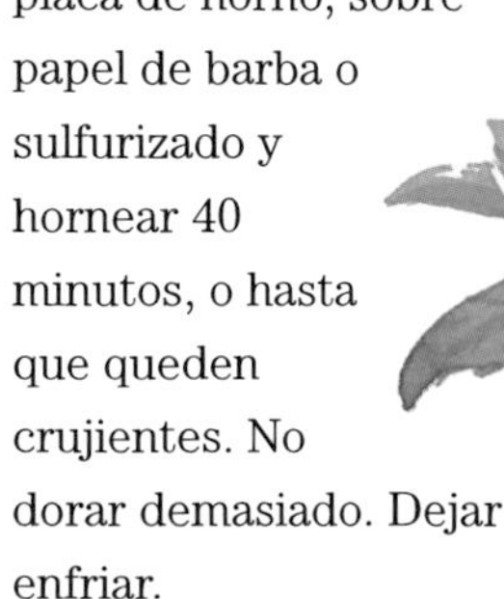

3 Pelar, quitar el corazón y picar las manzanas; ponerlas en un bol con el zumo de limón. Pasar a un cazo, cocer con el azúcar 2-3 minutos, hasta ablandarlas. Añadir la menta y aplastar. Dejar enfriar.

4 Montar la nata o crema de leche con la esencia de vainilla. Poner en una fuente de servir una de las bases. Se distribuye la mitad del relleno de manzana y, encima, la nata montada. Tapar con la otra base. Verter por encima el resto de la manzana y la nata, revolviendo suavemente la capa superior de ésta. Puede decorarse con hojas de menta frescas y avellanas. Servir recién hecha.

INDICE

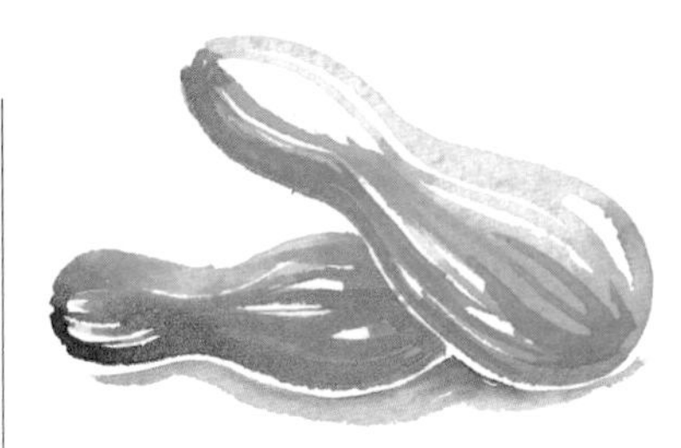

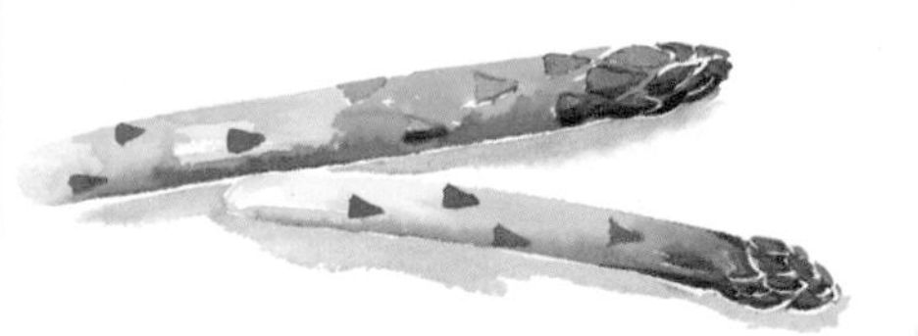